O PRÍNCIPE SAPO

CLÁSSICOS ILUSTRADOS

✳ MAURICIO DE SOUSA ✳

MAURICIO DE SOUSA EDITORA

GIRASSOL

HÁ MUITO TEMPO HAVIA UM REI QUE TINHA
UMA LINDA FILHA. QUANDO O DIA
ESTAVA QUENTE, A PRINCESINHA IA AO
BOSQUE E SENTAVA-SE JUNTO A UMA FONTE.

QUANDO QUERIA SE DIVERTIR, ELA JOGAVA SUA BOLA DE OURO PARA O ALTO. ESSA BOLA ERA O SEU BRINQUEDO FAVORITO.

CERTA VEZ, A BOLA CAIU NA LAGOA,
QUE ERA PROFUNDA, E A MENINA COMEÇOU
A CHORAR. UM SAPO APARECEU E DISSE QUE
PEGARIA A BOLA PARA ELA.

4

A PRINCESA DISSE QUE LHE DARIA QUALQUER
COISA COMO RECOMPENSA: ROUPAS, JOIAS...
E ATÉ MESMO A SUA LINDA COROA.

MAS, PARA SURPRESA DA JOVEM, O SAPO
DISSE QUE SÓ QUERIA SER SEU AMIGO E
SENTAR AO SEU LADO NA MESA, COMER EM
SEU PRATO DE OURO, BEBER NO SEU COPO E
DORMIR EM SUA CAMA.

A PRINCESA PROMETEU TUDO O QUE O SAPO PEDIU, DESDE QUE TIRASSE A SUA BOLA DO FUNDO DO LAGO. MAS, NA VERDADE, ACHOU QUE O POBRE COITADO NÃO PODERIA SER AMIGO DE UM SER HUMANO.

NA MESMA HORA, O SAPO MERGULHOU NA
ÁGUA. POUCO DEPOIS, VOLTOU NADANDO
COM A BOLA NA BOCA E JOGOU-A NA
GRAMA. A PRINCESINHA PEGOU A BOLA
E SAIU CORRENDO.

O SAPO TENTOU CHAMÁ-LA, MAS JÁ ERA TARDE. A MENINA ESTAVA LONGE.

NO DIA SEGUINTE, DURANTE O
CAFÉ DA MANHÃ, ALGUÉM BATEU À PORTA E
CHAMOU PELA JOVEM PRINCESA. ELA CORREU
PARA ATENDER, MAS, QUANDO VIU O SAPO,
FECHOU A PORTA E VOLTOU À MESA.

O REI PERGUNTOU O QUE ESTAVA ACONTECENDO E A PRINCESA CONTOU TODA A HISTÓRIA. SEU PAI DISSE QUE ELA SEMPRE DEVERIA CUMPRIR O QUE PROMETESSE E MANDOU O SAPO ENTRAR.

O SAPO ENTROU, SENTOU-SE NO LUGAR DA PRINCESA E PEDIU QUE ELA O SERVISSE EM SEU PRATINHO DE OURO. DEPOIS QUE COMEU, PEDIU PARA DEITAR NA BELA E MACIA CAMA DA JOVEM.

A PRINCESA NÃO GOSTOU DA IDEIA.
ONDE JÁ SE VIU UM SAPO DORMIR NA SUA
PRECIOSA E LIMPA CAMINHA? QUANDO
CHEGOU EM SEU QUARTO, PEGOU O SAPO
E O JOGOU NA PAREDE.

MAS, AO CAIR NO CHÃO, O SAPO SE
TRANSFORMOU EM UM LINDO PRÍNCIPE.
ELE CONTOU QUE HAVIA SIDO ENFEITIÇADO
POR UMA BRUXA E SÓ A PRINCESA PODERIA
SALVÁ-LO. A MENINA FICOU ENCANTADA
COM O JOVEM.

NA MANHÃ SEGUINTE, CHEGOU UMA
CARRUAGEM COM O ESCUDEIRO DO PRÍNCIPE.
ELE FICOU TÃO TRISTE QUANDO SEU
SENHOR FOI TRANSFORMADO EM SAPO, QUE
COLOCOU TRÊS FAIXAS DE FERRO EM VOLTA
DO CORAÇÃO, CASO ESTALASSE DE PESAR E
TRISTEZA.

A CARRUAGEM IRIA LEVAR O PRÍNCIPE AO SEU REINO COM A JOVEM PRINCESA. AO COMPLETAREM UMA PARTE DO CAMINHO, O PRÍNCIPE OUVIU UM RUÍDO, COMO SE ALGO TIVESSE SE QUEBRADO. ERAM AS FAIXAS QUE SE SOLTAVAM DO CORAÇÃO DO ESCUDEIRO, POIS SEU SENHOR FINALMENTE ESTAVA LIVRE.